鄭文公碑

中國碑帖名品〔三十二〕

上海書畫出版社

前言

中華文明綿延五千餘年，文字實具第一功。從倉頡造字而雨粟鬼泣的傳説起，歷經華夏子民智慧聚集、薪火相傳，終使漢字生生不息、蔚爲壯觀。伴隨著漢字發展而成長的中國書法，基於漢字象形表意的特性，在一代又一代書寫者的努力之下，最終超越其實用意義，成爲一門世界上其他民族文字無法企及的純藝術，并成爲漢文化的重要元素之一。在中國知識階層看來，書法是中國人『澄懷味象』、寓哲理於詩性的藝術最高表現方式，她净化、提升了人的精神品格，歷來被視爲『道』『器』合一。而事實上，中國書法確實包羅萬象，從孔孟釋道到各家學説，從宇宙自然到社會生活，中華文化的精粹，在其間都得到了種種反映，書法無愧爲中華文化的載體。書法又推動了漢字的發展，篆、隸、草、行、真五體的嬗變和成熟，源於無數書家承前啓後、對漢字美的不懈追求，多樣的書家風格，則愈加顯示出漢字的無窮活力。那些最優秀的『知行合一』的書法家們是中華智慧的實踐者，他們彙成的這條書法之河印證了中華文化的發展。

因此，學習和探求書法藝術，實際上是瞭解中華文化最有效的一個途徑。歷史證明，漢字及其書法衝破了民族文化的隔閡和時空的限制，在世界文明的進程中發生了重要作用。我們堅信，在今後的文明進程中，這一獨特的藝術形式，仍將發揮出巨大的力量。然而，在當代這個社會經濟高速發展、不同文化劇烈碰撞的時期，書法也遭遇前所未有的挑戰，這其間自有種種因素，而漢字書寫的退化，或許是書法之道出現踟躕不前窘狀的重要原因。因此，有識之士深感傳統文化有『迷失』、『式微』之虞。書法藝術的健康發展，有賴對中國文化、藝術真諦更深刻的體認，彙聚更多的力量做更多務實的工作，這是當今從事書法工作的專業人士責無旁貸的重任。

有鑒於此，上海書畫出版社以保存、還原最優秀的書法藝術作品爲目的，承繼五十年出版傳統，出版了這套《中國碑帖名品》叢帖。該叢帖在總結本社不同時段字帖出版的資源和經驗基礎上，更加系統地觀照整個書法史的藝術進程，彙聚歷代尤其是今人對不同書體不同書家作品（包括新出土書迹）的深入研究，以書體遞變爲縱軸，以書家風格爲橫綫，遴選了書法史上最優秀的書法作品彙編成一百册，再現了中國書法史的輝煌。

爲了更方便讀者學習與品鑒，本套叢帖在文字疏解、藝術賞評諸方面做了全新的嘗試，使文字記載、釋義的屬性與書法藝術造型、審美的作用相輔相成，進一步拓展字帖的功能。同時，我們精選底本，并充分利用現代高度發展的印刷技術，精心校核，原色印刷，幾同真迹，這必將有益於臨習者更準確地體會與欣賞，以獲得學習的門徑。披覽全帙，思接千載，我們希望通過精心編撰、系統規模的出版工作，能爲當今書法藝術的弘揚和發展，起到綿薄的推進作用，以無愧祖宗留給我們的偉大遺産。

上海書畫出版社

簡介

《鄭文公碑》，全稱《魏故中書令秘書監使持節督兗州諸軍事安東將軍兗州刺史南陽文公鄭君之碑》、《滎陽鄭文公之碑》，或稱《鄭羲碑》、《鄭文公下碑》等。刻於北魏永平四年（五一一）。楷書，五十一行，行二十九字，碑高一百九十五釐米，寬三百三十七釐米。碑石在雲峰山（今山東省萊州市東南約七公里處）山腰，至今仍在，并有碑亭護之。此碑有上、下兩碑，内容大致相同，上碑在平度天柱山，位於萊州雲峰山者爲下碑。上碑字較下碑略小，損泐較下碑嚴重，故書法學習多取下碑爲範本。

此碑傳爲鄭道昭所書，鄭道昭（生於四五五年，卒於五一六年），字僖伯，自號中嶽先生，北魏滎陽開封人，魏孝文帝時始爲官，歷任秘書郎、秘書丞兼中書侍郎、通直散騎常侍、國子監祭酒、秘書監、滎陽邑中正，永平年間任光州刺史兼平東將軍。其書法寬博舒展，雄强圓勁。

本次選用之本爲朵雲軒所藏清中後期精拓本，『頌』字未損。整幅亦爲朵雲軒所藏，清中期所拓，『頌』字未損，劉燕庭舊藏。均爲首次原色全本影印。

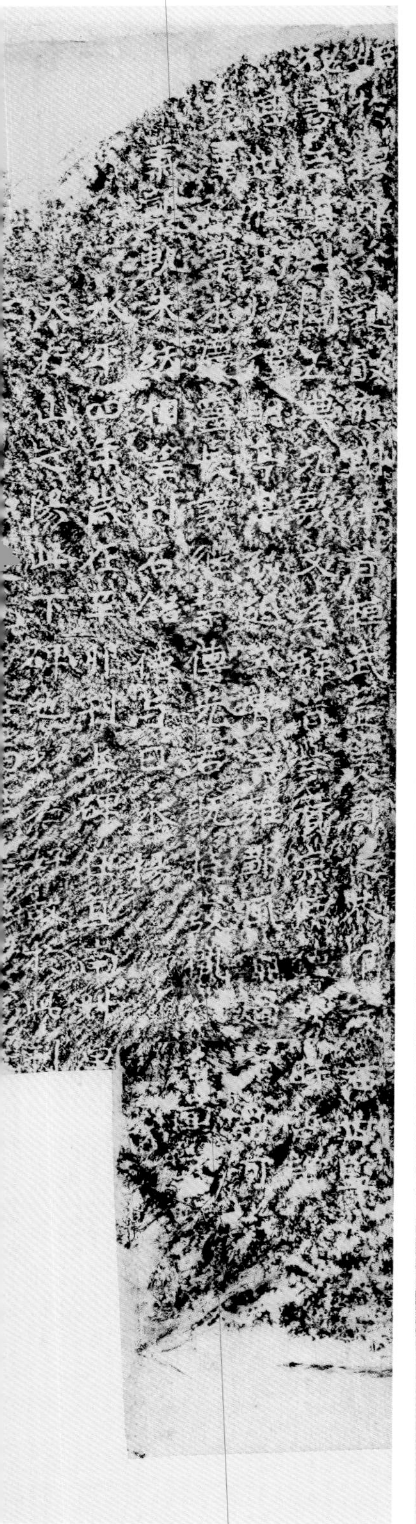

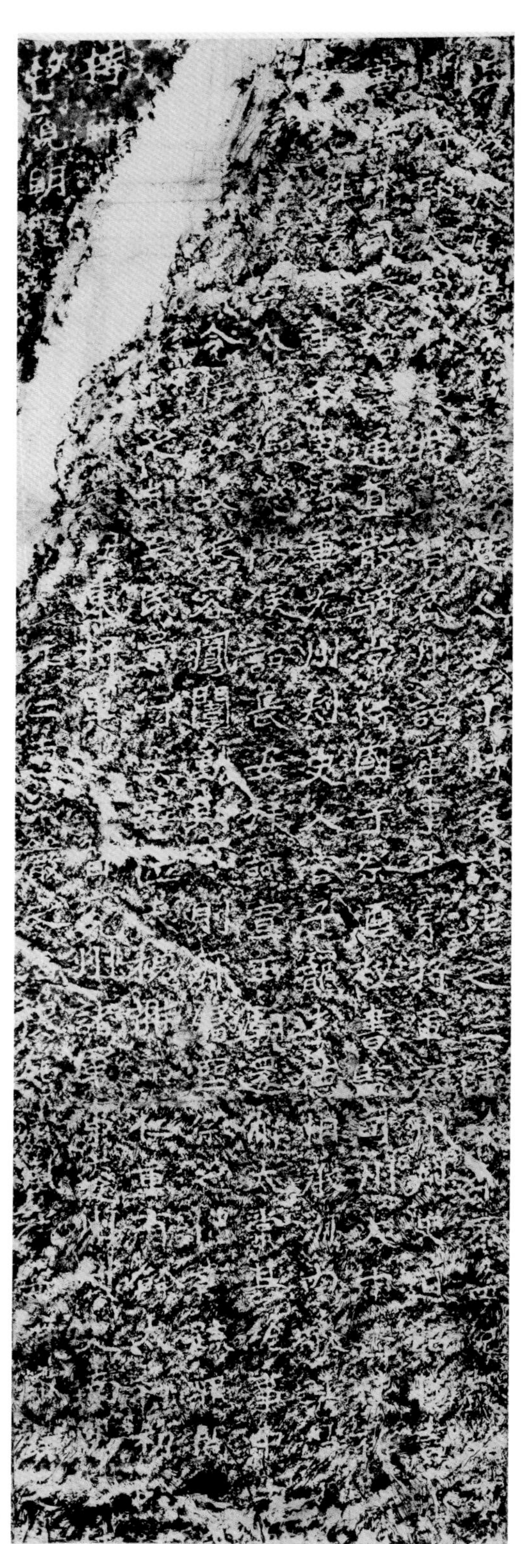

舊搨鄭文公下碑

隺然李健題

北魏鄭文公碑全冊　梅生藏本

公
之

碑

節議以援當
風大夫司農
創解結以開

祖龕以明哲
佐世後燕中
山尹太常卿

夫時仁佶義
信績著當遺
拜建武將軍

載誕文明齊
世篤信樂道
履德依仁孝

子產之爲人

不如也盖斯
天於衡後世
德儒千州間

和平中拜家
十谷徐高萬
掾補中書博

士孫以方宗
曰君雖畢望
稱首帝乃曆

載不遷佳清
務閒遂乘關
述作達詒經

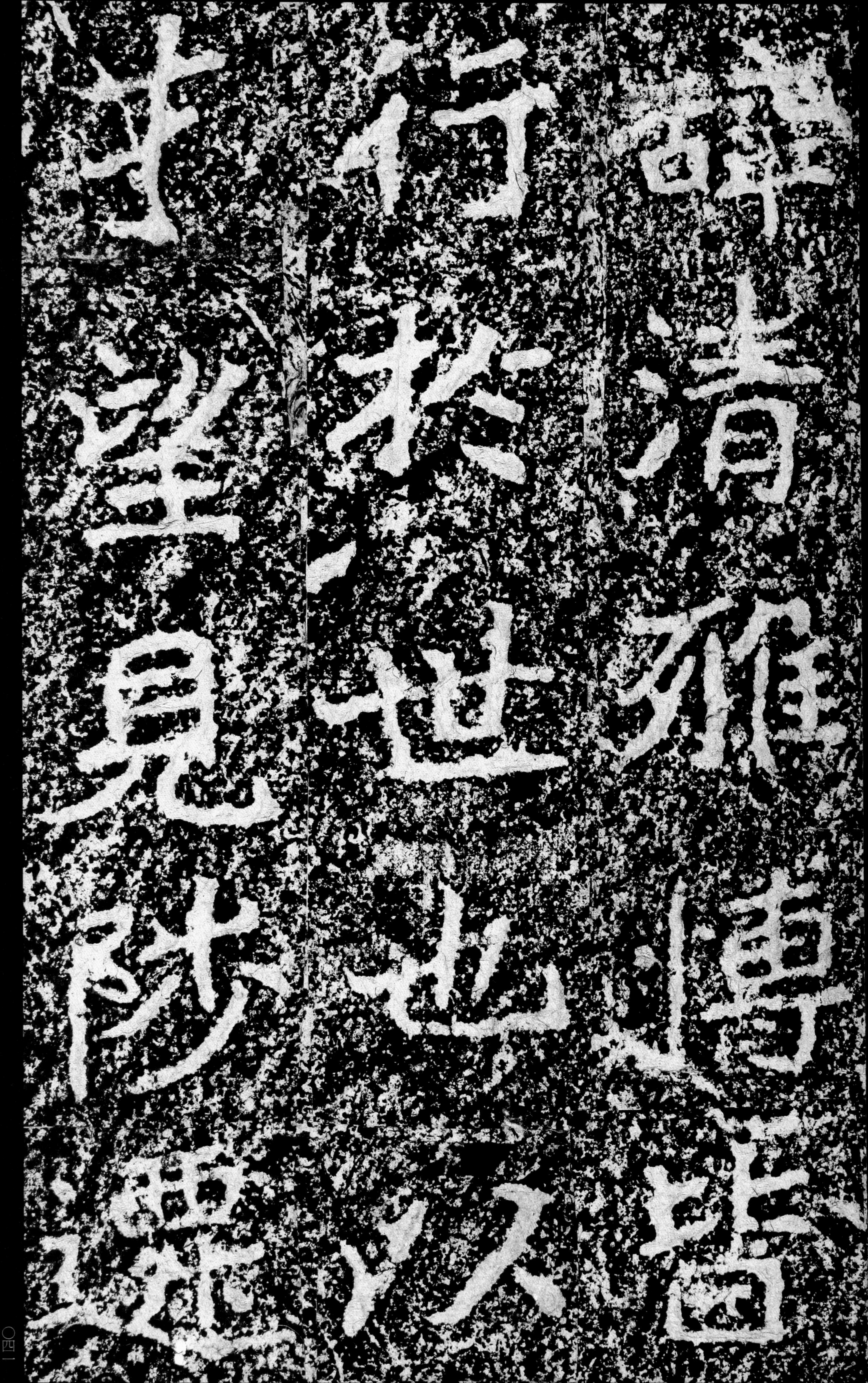
清雅
行於世也以
孝見

中書侍郎之

侯員外散騎

常侍陽武

酒樂
公自樂其
何如公答曰

家楚有餘而
雅云不足且
知已甚矣而

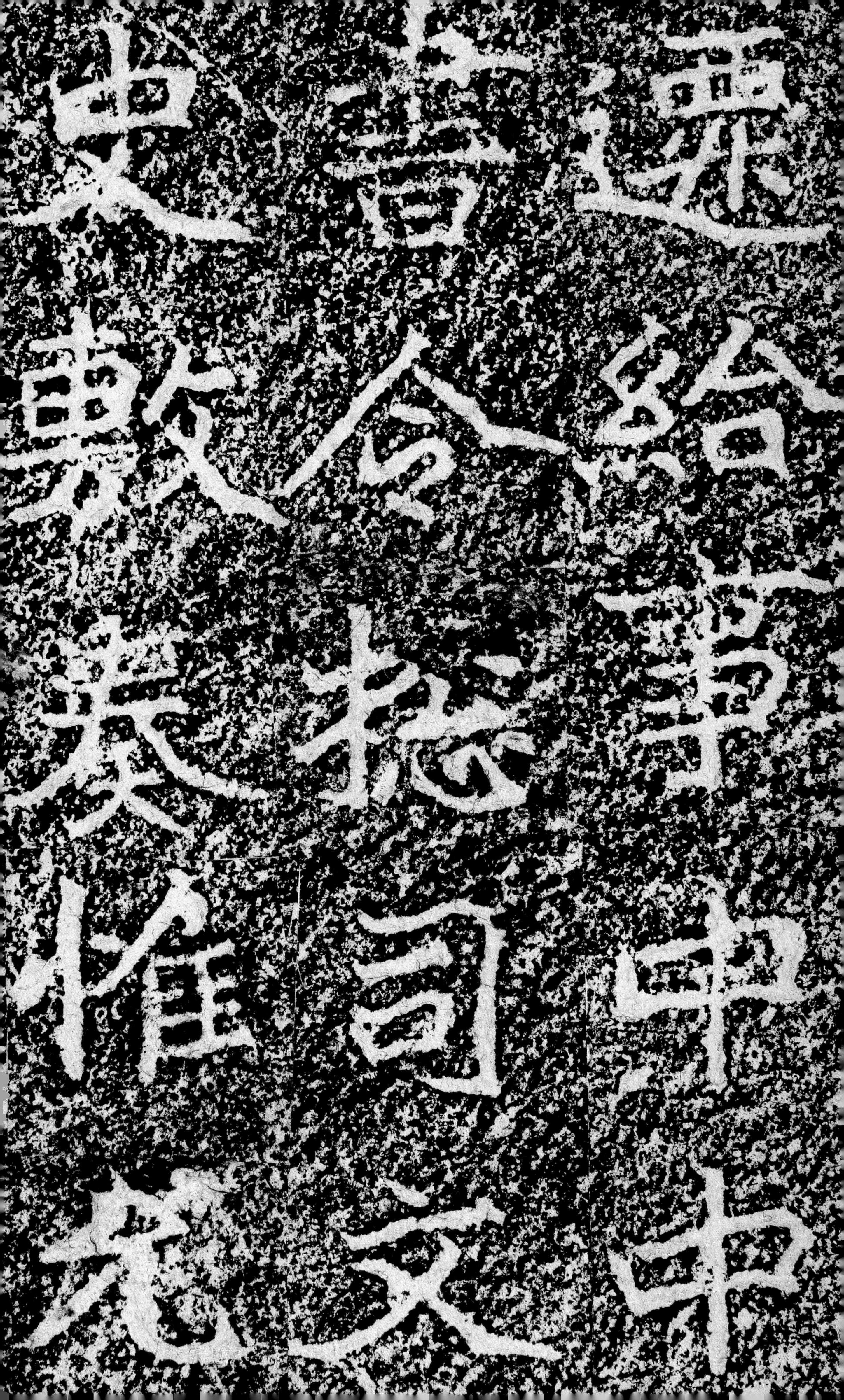
給事中中
令摠司文
史

令器[illegible]無賓
早綜銓衡[illegible]
[illegible]徵[illegible][illegible]壹

悦禮光精易
理柔孚道昭
博學明倫才

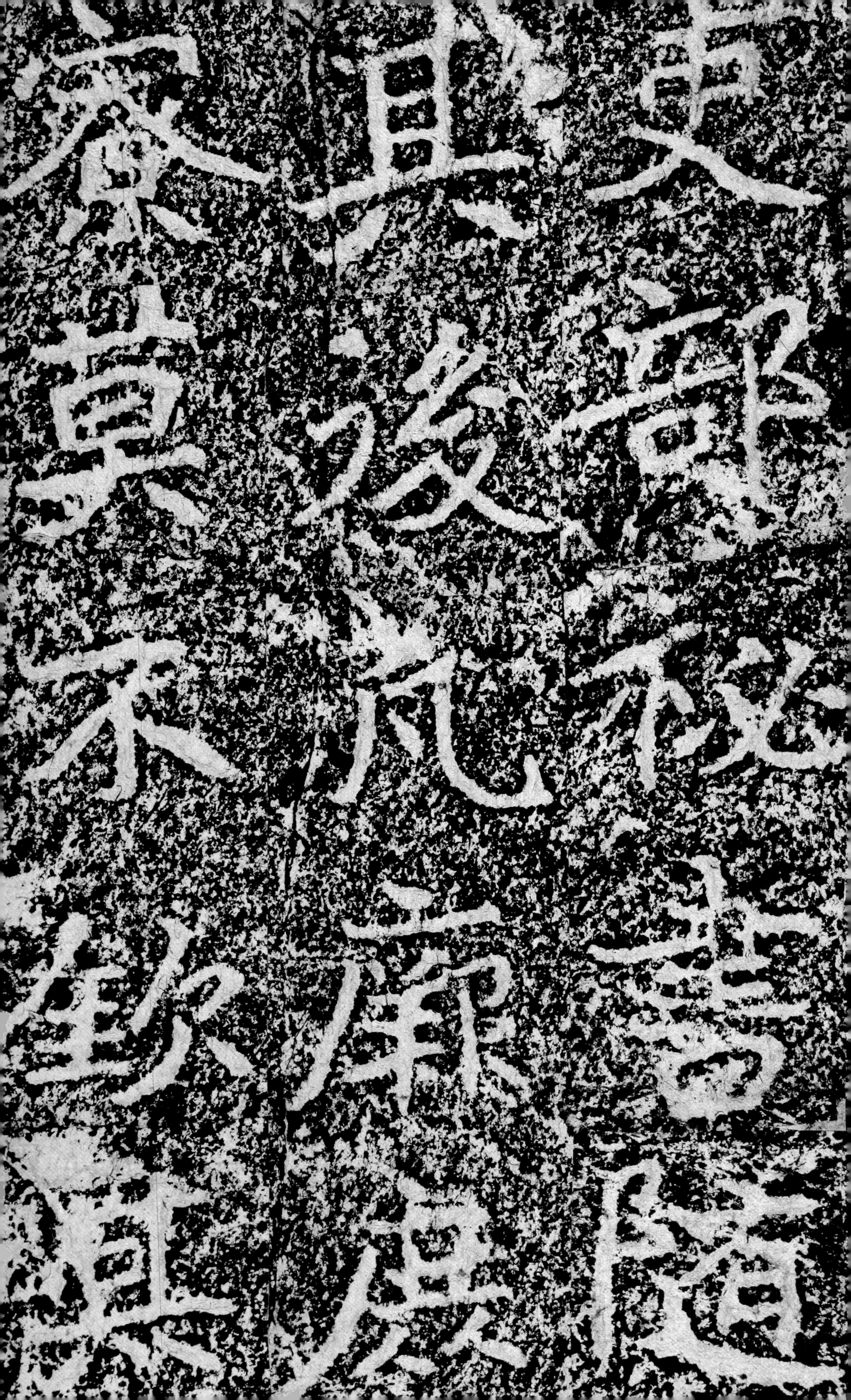
史部校書隨
郎後咸承慶
參軍事欽

歲給事黃門
侍郎大宗卿
使持節都督

州諸軍事平東將軍齊州刺史謚曰敉

書丞事書侍
郎司徒咨議
通直散騎常

軍事奉東將
軍兖州刺史

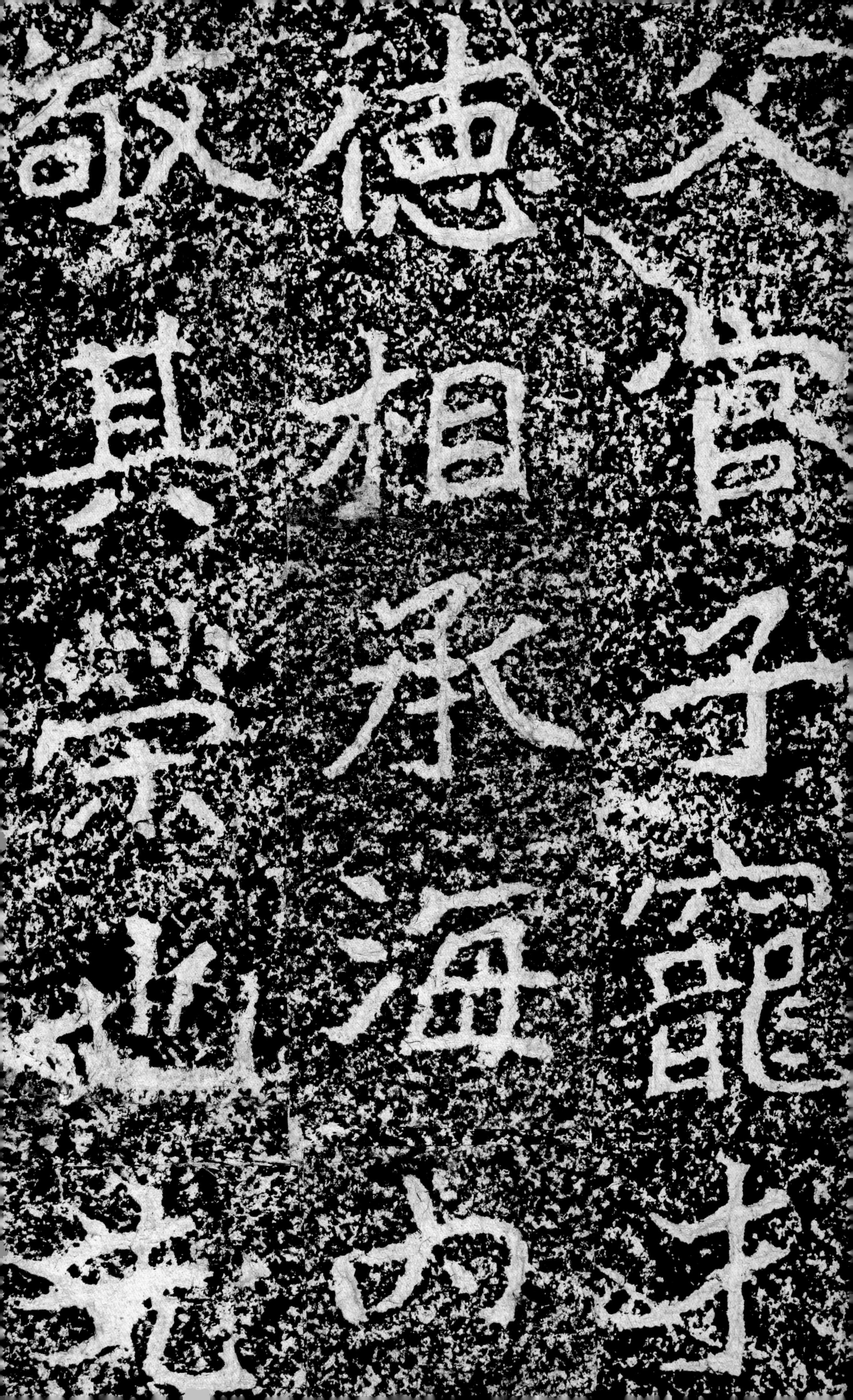

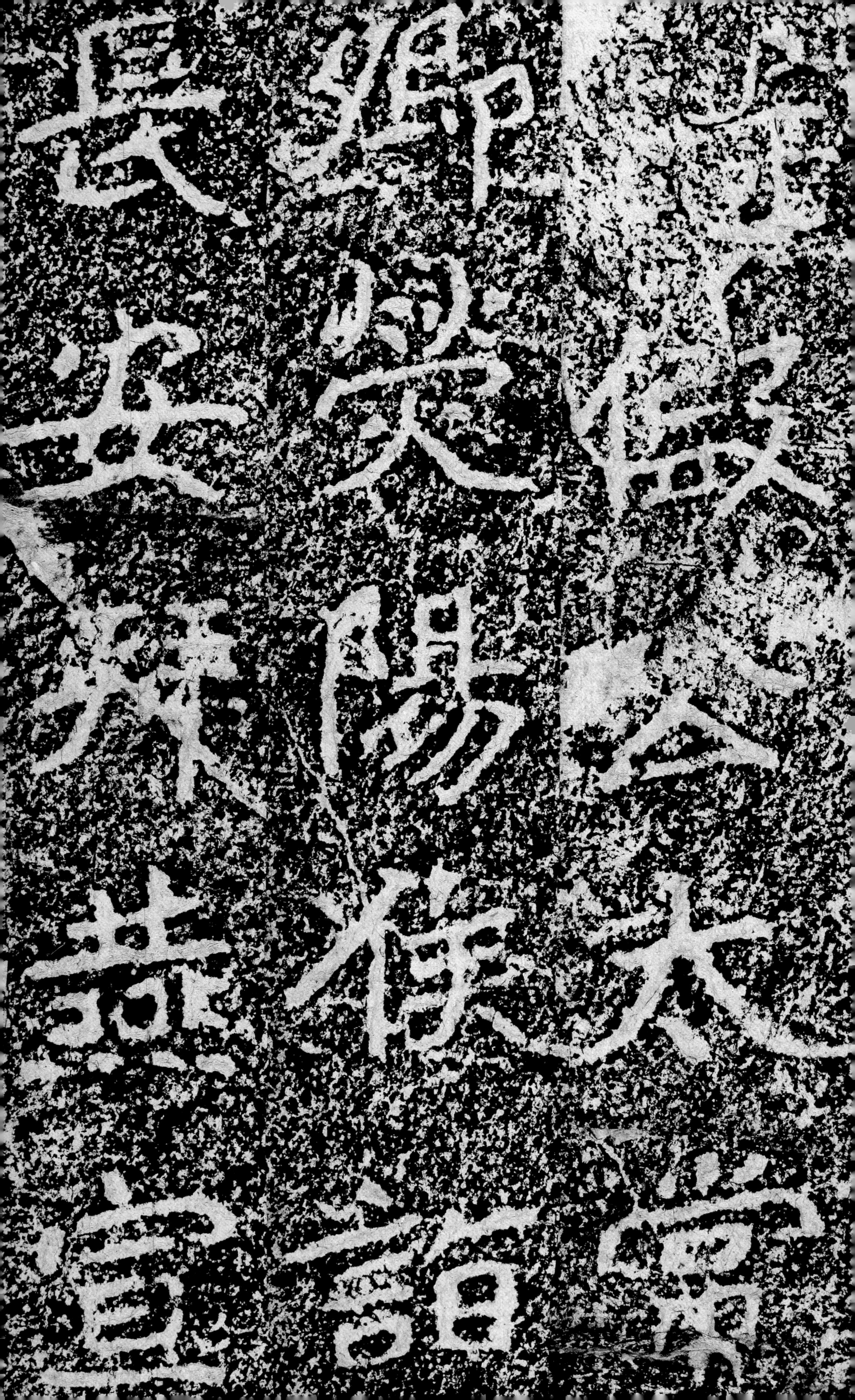

王廟還解大

郎安東將軍
督兗州諸軍
事兗州刺史

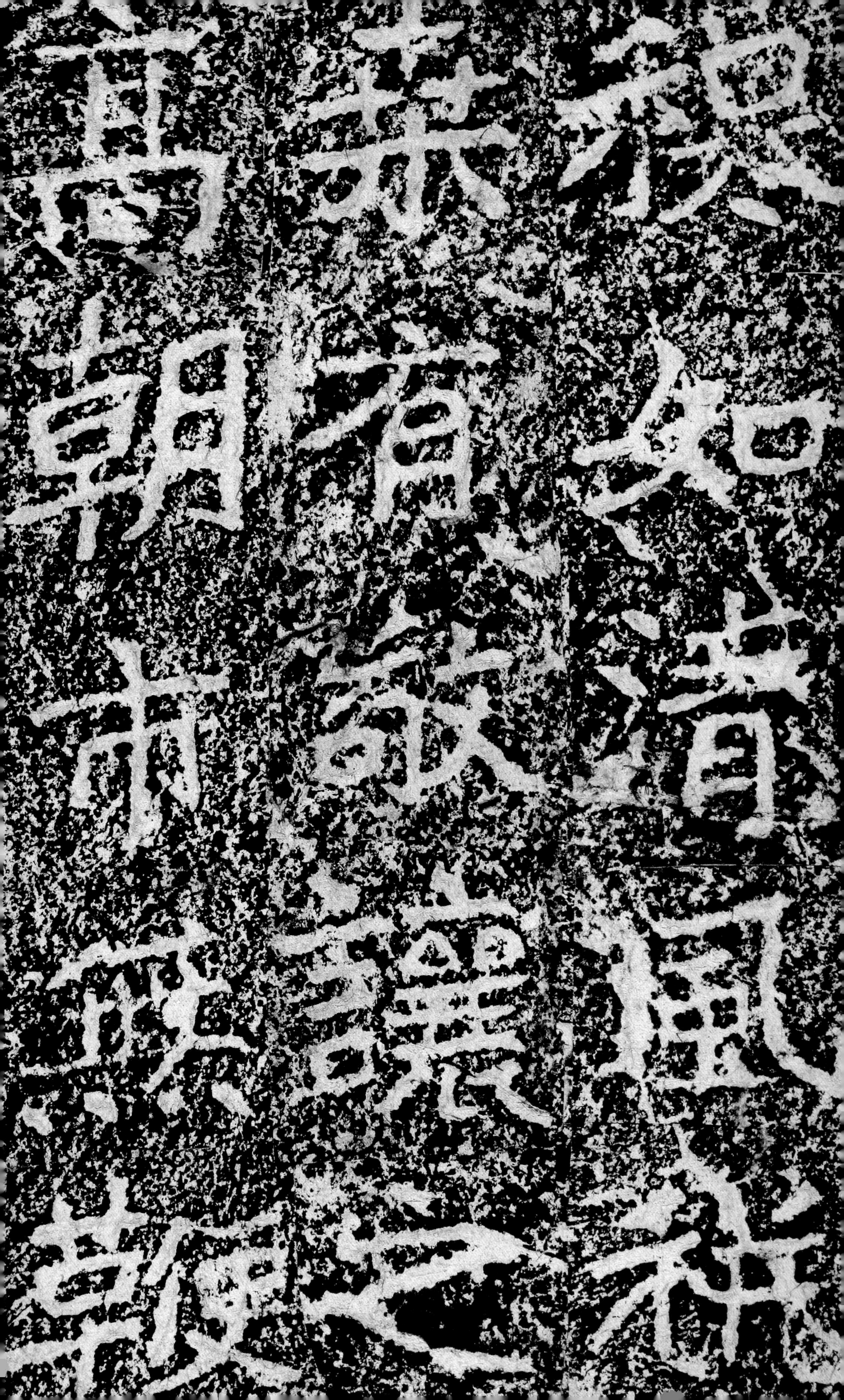

徵校書臨觀
秋六十有七
寢疾薨於位

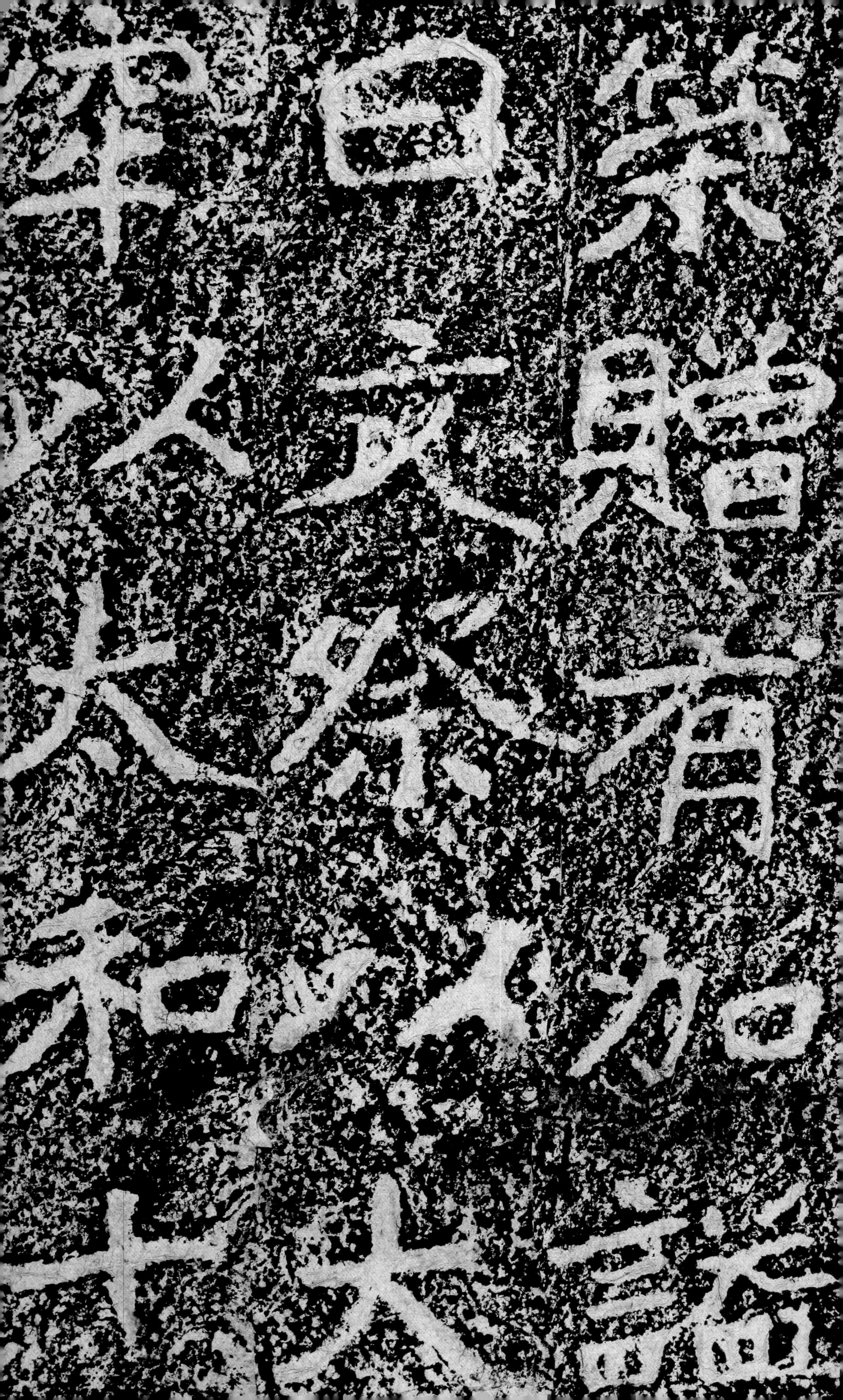

司乃相与欷
述景行銘之

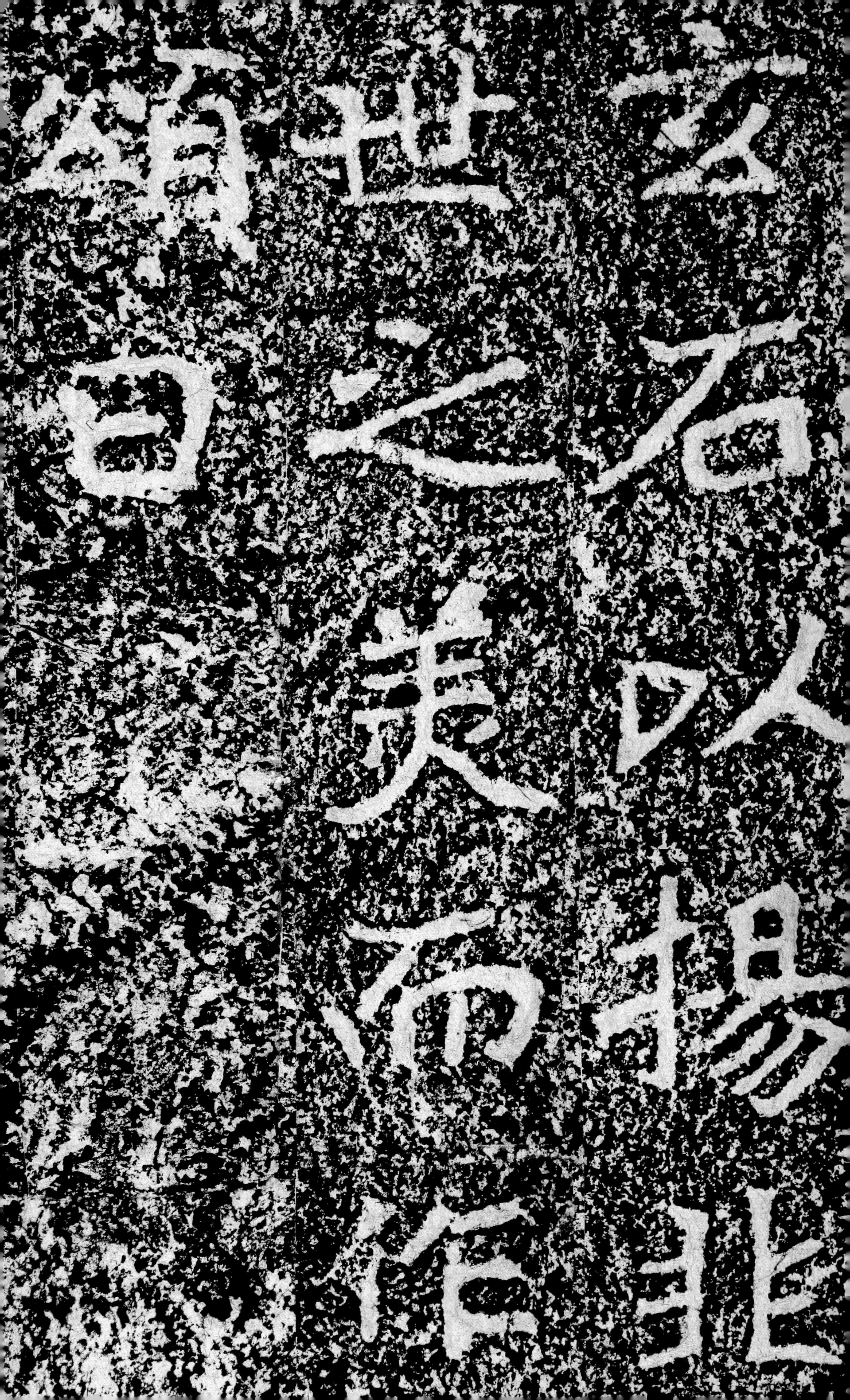
石以揚非
世之美而作
頌曰

監秘書三墳
別闡五典究
敦文爲辭首

學實宗儒德

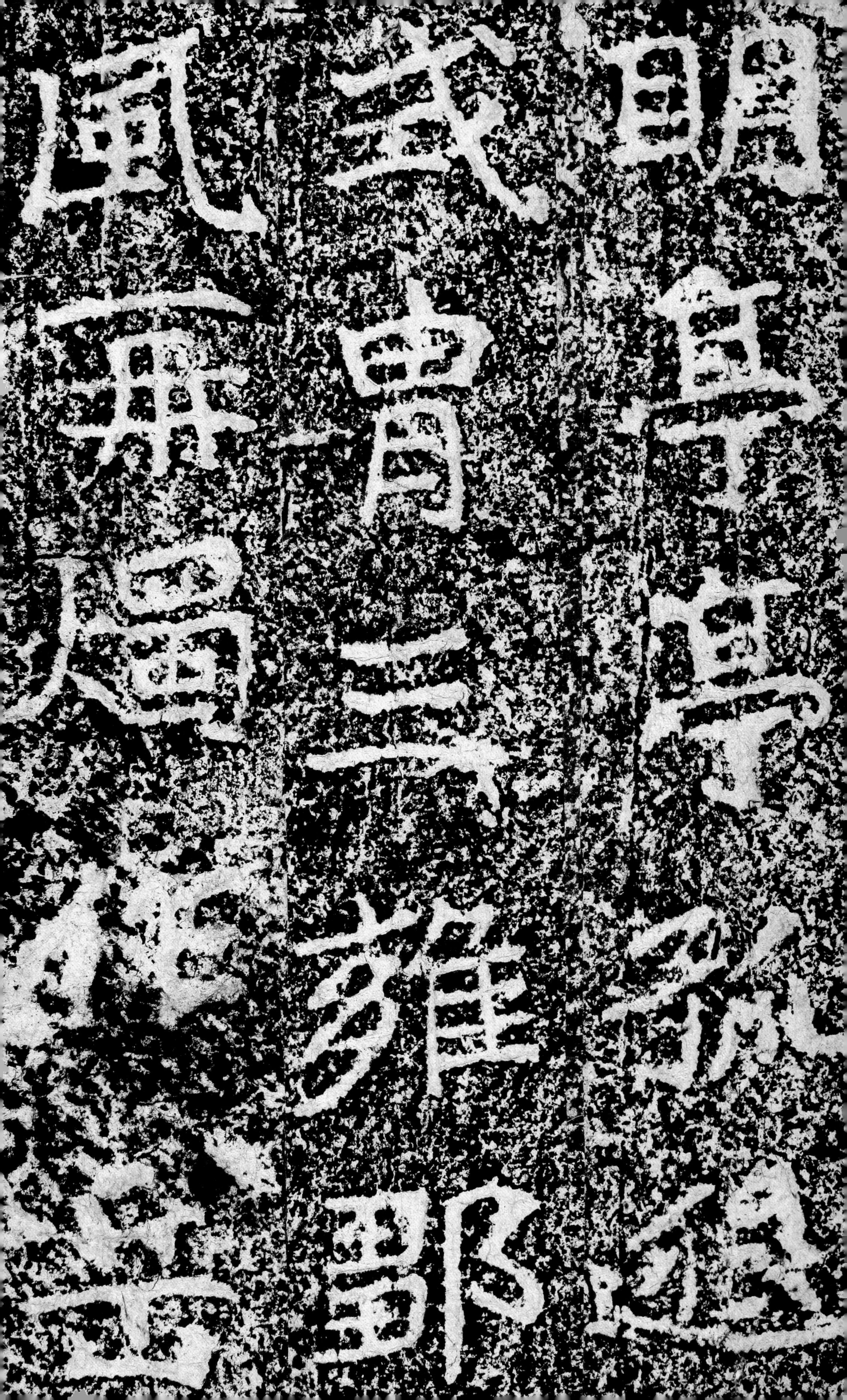

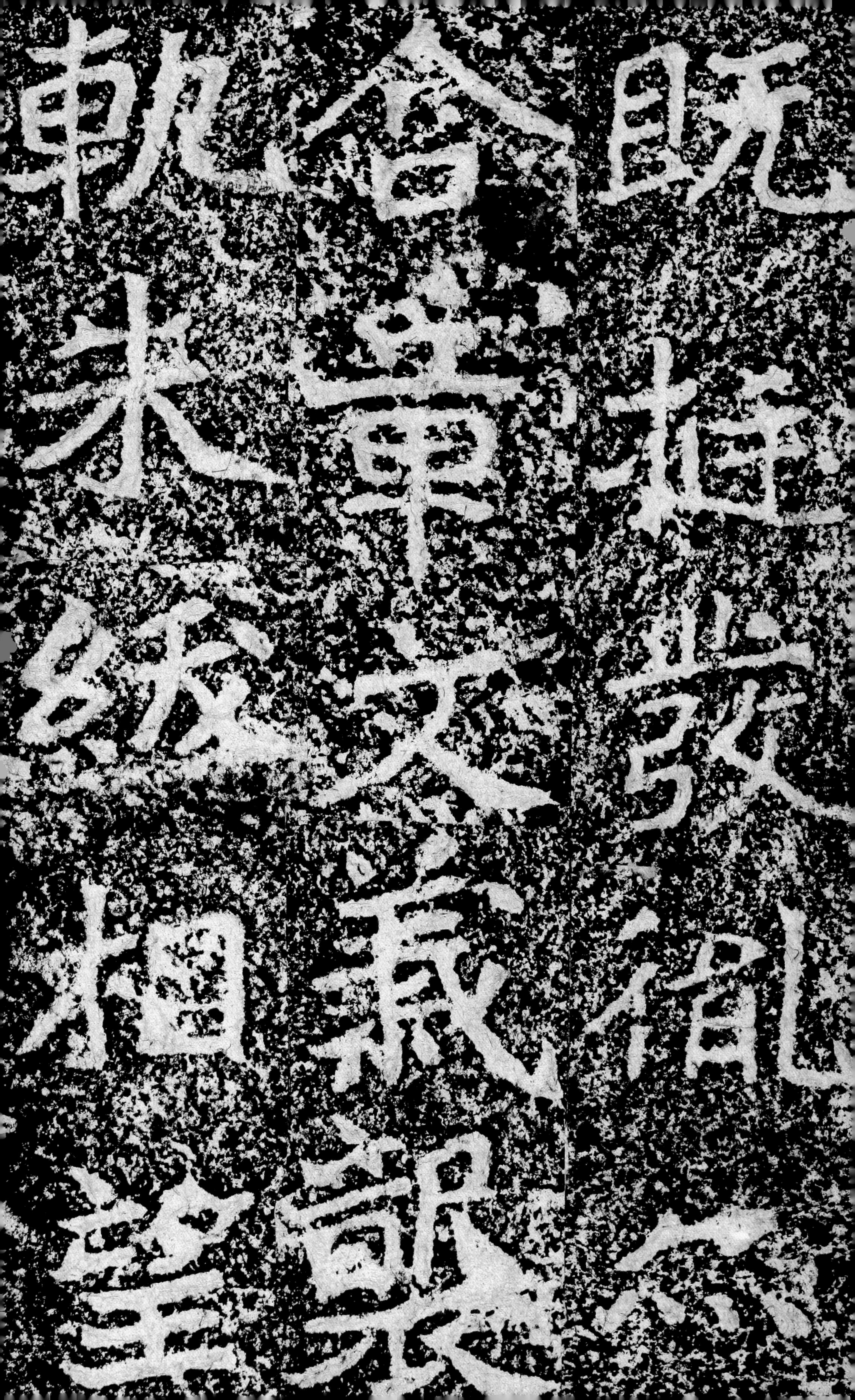

刊石銘德
曰永揚
永平四年歲

在華邪刊上
碑在直南卌
里天柱山之

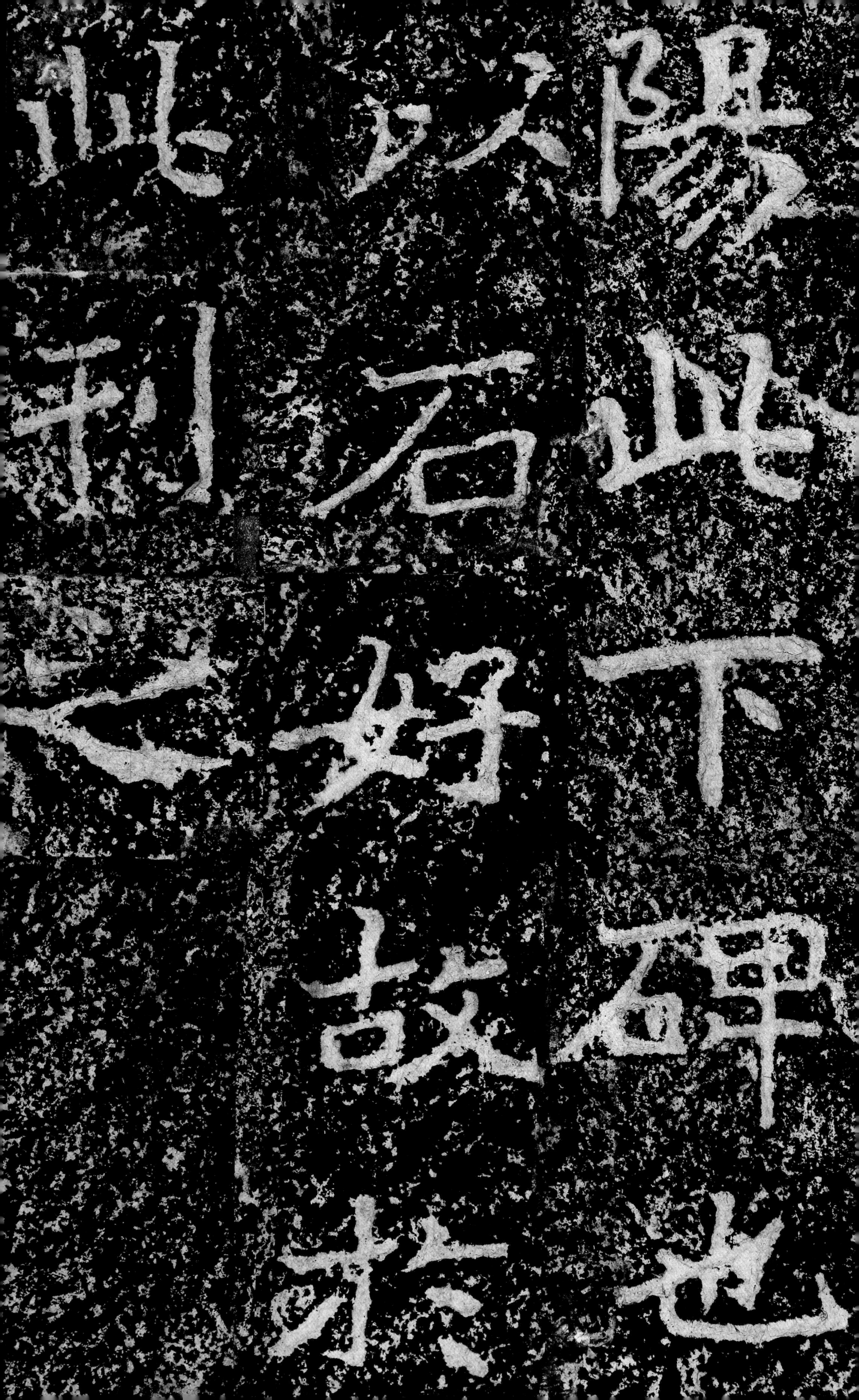
陽山下碑也
人石好故於
此刻之

光和三年十月

書法取乎圓用筆取乎柔唐人法最嚴不善取法近乎唐楷或蹈拘滞迂而上之魏晉人猶不免詭僻之習滎陽鄭文公磨崖刻石寓圓於方寓剛於柔字劃嚴緊而復姿態波折玩味不盡學者多宗之由此而漸入唐人之室門徑次第若不紊者識者當不薄吾言

鄭文公碑自包安吳提倡於前康南海揄揚於後遂為學者所重碑本摩崖拓者多為紙漬煤污善本極少此本為但小湖舊藏十年前為予所得今歲又款一段字未損本與此對校覺此拓時較早勝彼一籌留一宿還之移錄光緒丁未鈕醫龕一跋於右

辛卯四月味茶居士識於海上

注釋

滎陽：一作『滎陽』，即滎陽郡。三國魏正始三年置，屬司州。治所在滎陽縣（今河南鄭州市西北古滎鎮）。後廢。西晉泰始二年復置。北齊廢。

中書令：漢時中書令即中書謁者令之省稱。南北朝時，中書令一官最爲清貴華重，常用有文學才望者任職。執掌國家機要，位高權重，略相當於後世宰相。

秘書監：東漢延熹二年始置。屬太常寺，典司圖籍。晉時并統著作局，掌三閣圖書。

安東將軍：四安將軍之一，掌武事，三品。

草：此『草』字爲何人書刻，是何寓意，至今看法不一。筆者以爲『草』字含有草稿、文稿的意思。因爲鄭文公墓遠在滎陽三皇山，此處所立的『碑』，不是嚴格意義上的『墓碑』，而只是『碑文』。寫『草』字既説明這不是正式的墓碑，同時也表示，將來歸到滎陽，還要正式立墓碑。『草』字比正文略小且偏，是對正文加以標注的習用格式。

幼驎：《鄭文公上碑》作『幼麐』，《魏書》作『幼驎』，《北史》作『幼麟』。按：麟，同『麐』；麟，通『驎』。

胙：本義是祭祀之肉。此通『祚』。意爲賜予，喻封藩建國。

母弟：同母之弟，别於庶弟。

胙母弟以命氏：此句是説鄭姓起源於周朝，乃是因周王封地而得的姓氏。公元前八〇六年，周宣王封弟友於鄭，史稱鄭桓公。公元前七六九年東遷新鄭，於公元前三七五年爲韓國所占據，鄭人奔於陳、宋間，以原國名爲氏，因得鄭氏。

桓：指鄭桓公。親賢：親近賢人。桓以親賢司徒：周幽王時封鄭桓公爲司徒。

武：指鄭武公，鄭桓公之子，東遷之始祖。亦曾任周司徒，因善於職守，被國人一并歌頌，而作《緇衣》。

《緇衣》：《詩經·鄭風》的篇名。序曰：『《緇衣》，美武公也。父子并爲周司徒，善於其職，國人宜之，故美其德以明有國，善善之功焉。』

鄭當時：指鄭莊，西漢人。以任俠自喜，聞名梁、楚間。曾官濟南太守、大司農等。喜招賓客，好舉士，時有『鄭莊行，千里不賫糧』之説。《史記》、《漢書》有傳。

大夫司農：指鄭衆，字仲師，東漢人。曾官中郎將、武威太守，有政聲。建初六年爲大司農，世稱『鄭司農』。少從其父受《左傳》之學，通《易》、《詩》，明《三統曆》。世稱『先鄭』（鄭玄爲『後鄭』）。司農：漢代主管錢糧之官，爲九卿之一。

解詁：注解訓詁古書的學問。

二書：可能是指《史記》和《漢書》（《後漢書》初名亦稱《漢書》）。

楊州：即揚州。此指鄭太（一作泰）。鄭太，字公業，東漢人。鄭衆的曾孫。靈帝末，舉孝廉。何進輔政，以爲尚書侍郎，遷侍御史。何進謀誅宦官，欲召董卓爲助，鄭太力諫，不聽。何進敗後，與人共謀殺董卓，事泄，東歸袁術，袁術以爲揚州刺史，未至官，卒於道。

《十策》：指以智謀騙取董卓信任的十條策略，見載於《後漢書·鄭太傳》。

司空豫州：指鄭袤，鄭太之子，字林叔。晉武帝時進爵密陵侯，拜司空，固辭，以侯就第，卒年八十五。鄭袤以德能著稱，史稱曾『旌表孝悌，敬禮賢能，興立庠序，開誘後進』，深受世人愛戴。傳見《晉書》。

味道居真：體味道的哲理，堅守真的本性。

競：强。《爾雅·釋詁》：『競，强也。』弗競：不强盛。

陵夷：衰頽，衰落。

聰曜：十六國時漢國國君劉聰和前趙國君劉曜。

虔劉：劫掠，殺戮。

冀方：泛指中原地區。

隱栝：亦作『隱括』。用以矯正邪曲的器具。此處比喻委曲求全。

屬：適值，恰逢。

石氏：指後趙，由石勒所建，曾一度統一北方大部。

鄭豁：見載於《魏書・鄭義傳》：『曾祖豁，慕容垂太常卿。』

後燕：鮮卑人慕容垂所建，後爲北燕所滅。中山郡：治所在今河北定縣。尹：一郡的行政長官，相當於太守。

太常卿：太常寺卿的簡稱，主管禮樂、郊廟、社稷諸事宜。爲九卿之一。

儲端：太子詹事的别稱。

太子瞻事：即太子詹事。主掌皇后、太子家事。

鄭曄：見載於《魏書・鄭義傳》：『父曄，不仕，娶於長樂潘氏，生六子。』此處碑文的記載與史籍不同，當可補史之缺誤。

義徒：義兵。

慶：福澤。

熟：通『孰』。

三靈：此處指日、月、星。

五百之恒期：指每隔五百年必有王者興起的固定周期。

誕：大。乘和載誕：帶著天地間的和諧與大氣。

據德依仁：遵守德的規範，依循仁的標準。語出《論語・述而》：『子曰：「志於道，據於德，依於仁，游於藝。」』

孝弟：孝順父母，友愛兄弟。弟：通『悌』。

寘：通『慎』。愍：通『敏』。慎言敏行：説話謹慎，行事敏捷。語本《論語・學而》：『敏於事而慎於言。』

六籍：六經，儒家的六部經典。指《詩》、《書》、《禮》、《樂》、《易》、《春秋》。

孔：甚。

百氏：諸子百家。

備究：深入研究。

《八素》：一作《八索》。《八索》、《九丘》，皆傳説中的古書名。

傾側之行：指邪僻不正的行爲。

趣：通『取』。趣向：志向，好尚。

晏平仲：即晏嬰，春秋齊國人。繼其父桓子爲齊卿，後相景公，以節簡力行，名顯諸侯。

東里：地名，在河南新鄭縣故城内，春秋鄭國大夫子產居此。子產：複姓公孫，名僑。曾主張不毁鄉校，聽取國人意見，采用寬猛相濟的治國方略，將鄭國治理得秩序井然。鄭聲公五年卒，鄭人悲之如亡親戚。《論語・憲問》：『東里，子產潤色之。』

愽：同『博』。博物，博學多識。

衡泌：指隱居之地。語本《詩經・陳風・衡門》：『衡門之下，可以栖遲，泌之洋洋，可以樂飢。』朱熹集傳：『此隱居自樂而無求者之詞。言衡門雖淺陋，然亦可以游息；泌水雖不可飽，然亦可以玩樂而忘飢也。』

和平：北魏文成帝拓跋濬年號（四六〇至四六五）。

答策：回答策論，是選舉考試的一種方式。高第：凡選士、舉官、考試成績優者爲高第。

擢補：委任官職。

中書博士：中書教授博士的省稱，掌教授中書學生。

弓：同『卷』。這是一種比較罕見的古體字，明陶宗儀《輟耕録》卷一：『「弓」即「卷」字，《真誥》中謂一卷爲一弓。』

陟：晉升。

中書侍郎：中書省副職，參與管理國家政事。

假：充任。散騎常侍：侍從皇帝左右，掌規諫過失，以備顧問。晉以後，增加員額，稱員外散騎常侍或通直散騎常侍，往往預聞要政，爲皇帝左右親信之官。

細：此處形容樂聲軟弱無力。

于：通『乎』。

嘿然：沉默無言的樣子。

蕭氏滅宋：齊高帝蕭道成於四七九年滅宋。

延陵：春秋吴公子季札因封於延陵，故後世稱延陵季子。

皇華：《詩經·小雅》篇名《皇皇者華》的縮寫。序曰：『《皇皇者華》，君遣使臣也。送之以禮樂，言遠而有光華也。』後作爲贊頌使者的典故。

原隰：廣平與低濕之地。亦出《詩經·小雅·皇皇者華》：『皇皇者華，於彼原隰。』此處是對宋國含有輕蔑意思的稱謂，猶如説對方是小國寡民，因使者的到來而增輝。

給事中：侍從皇帝左右，備顧問、應對事，常爲加官。

敷奏：陳奏，向君上報告。惟：通『唯』。唯允：答應，首肯。敷奏唯允：表示參與處理往來奏章的事宜。

鄭懿：《魏書》、《北史》有傳，附於《鄭羲傳》後。

邕：通『雍』。和令：和善，美好。

銓衡：衡量輕重。這裏指選拔官吏。

礼：同『禮』。

季子：小兒子。

儁：同『俊』。明俊：明慧俊異。

研圖作篆：此句在《鄭文公上碑》中寫作『研注圖史』，均表示研究、注解圖書史籍。

超侍：超越官階的級別侍奉在皇上左右，表示破格受到特别的重視。

紫幄：指皇帝的住所，内廷。

寮：通『僚』。

三陳：指東漢時陳實及其子陳紀、陳諶三人，俱以平正聞名鄉里。《後漢書·陳實傳》曰，陳實有六子，陳紀、陳諶最賢，『父子并著高名，時號三君』。

紀：古以十二年爲一紀。

給事黄門侍郎：西漢時郎官給事於黄門（宫門）之内者稱黄門郎或黄門侍郎。東漢合并黄門侍郎與給事黄門之職，設給事黄門侍郎，爲侍從皇帝左右之官，傳達詔命。魏、晉時尚系侍從官。齊、梁以後，因執掌詔令，備皇帝顧問，地位逐漸提高。

縱：通『從』。從容：形容舉止行爲悠閑舒緩。

槐鼎：比喻三公之位。

太和：北魏孝文帝拓跋宏年號（四七七至四九九）。

穆如清風：謂和美如清風化養萬物。句出《詩經·大雅·烝民》：『吉甫作誦，穆如清風。』

秚：同『耕』。《張猛龍碑》『野畔讓耕』，寫法同此。

凡百君子：指在位的諸侯士大夫。句出《詩經·雨無正》：『凡百君子，各敬爾身。』

振：通『震』。震悼：驚愕悲悼。

賵襚：贈給喪家的車馬衣物。此爲古代吊喪之禮。『賵』字多前人多誤釋爲『贈』，陸增祥《八瓊室金石補正》卷十四訂正之。按，《魏書·鄭羲傳》：『太和十六年卒，贈帛五百匹。』即指此而言。

謚曰『文』：按，《魏書·鄭羲傳》曰：『尚書奏謚曰宣，詔曰：「蓋棺定謚，先典成式，激揚清濁，治道明範。故何曾幼孝，良史不改繆醜之名；賈充寵晉，直士猶立荒公之稱。羲雖宿有文業，而治闕廉清。稽古之效，未光於朝策；昧貨之談，已形於民聽。謚以善問，殊乖其衷。又前歲之選，匪由備行充舉，自荷後任，勛績未昭。尚書何乃情遺至公，愆違明典！依《謚法》：「博聞多見曰文，不勤成名曰靈。」可贈以本官，加謚文靈。」』據《魏書》的記載，鄭羲有貪婪吝嗇之名，故孝文帝贈謚號爲『文靈』，『靈』字在謚法中含貶義，此處寫作『文』，顯然是故意隱諱的。

太牢：祭祀時并用牛、羊、豕三牲叫太牢。

三皇山：位於今河南省鄭州市西北三十公里、滎陽市東北二十八公里的廣武山上。鄭羲墓在今滎陽市廣武鄉桃花峪村西，冢今尚存。

緬邈：路途遙遠。

烋：同『休』。鴻休：大善，美德。

徽：美好善良。這裏指賢人。

繇：指咎繇，即皋陶。《漢書·古今人表》：『咎繇，即皋陶。』繇，通『陶』。皋陶是傳説中舜時掌管刑法之官。禹繼位後，按禪讓制舉薦皋陶爲他的繼承人，并且叫他處理政務，但皋陶先於禹而亡故，未繼位。

契：契合。此處含有輔佐的意思。

姒：姓。此處指夏的始祖大禹，大禹爲姒姓。

旦：周公旦，周文王之子。姬：代指周朝。協姬：周公輔佐武王滅商，武王死後，其子成王誦年幼，周公攝政當國，後還政於成王。

於穆：對美好的贊嘆。

叡：同『睿』，明智，智慧。

恭惟：虔誠莊敬地懷念。

《三墳》、《五典》：傳説中的古書名。

式冑：此處表示行爲舉止是士大夫的典範。

三雍：辟雍、明堂、靈台合稱三雍。爲天子舉行典禮祭祀的場所。

鄒風：形容君子和穆如春風的氣度。典出《列子·湯問》：『微矣子之彈也，雖師曠之清角，鄒衍之吹律無以加之。』張湛注：『此方有地美而寒，不生五穀，鄒子吹律暖之，而禾黍滋也。』

作岳：相當於『作牧』。是指出任地方的長官，此處指出任兖州刺史。

胤：子孫後代。

含章：稟賦佳好。

永平：北魏宣武帝元恪年號，永平四年爲五一一年。此時距鄭羲下葬（四九三年）已有十九年。

上碑、下碑：《鄭文公碑》有『上下碑』之稱，據此碑云：『永平四年，歲在辛卯，刊上碑在直南卌里天柱山之陽，此下碑也。以石好，故于此刊之。』由此可知，刻於天柱山的《鄭文公碑》稱爲『上碑』，而此碑則稱爲『下碑』。『上』表示先刻，『下』表示後刻，相當於前後碑的意思。《鄭文公上碑》刻於天柱山峰頂，今亦存。上碑與下碑的文字内容和書法風格基本相同，但上碑比下碑少三百多字，且因石質較差，所以殘漫較甚，故一般學習者多取下碑爲範本。

歷代集評

北碑體多旁出，《鄭文公碑》字獨真正，而篆勢分韻、草情畢具。布白本《乙瑛》，措畫本《石鼓》，與草同源，故自署曰草篆。不言分者，體近易見也。

——清 包世臣《藝舟雙楫》

雲峰鄭道昭諸碑，遒勁奇偉，與南朝之《瘞鶴銘》，異曲同工。

——清 楊守敬

鄭道昭雲峰山上下碑及論經詩諸刻，上承分篆。其筆力之健，可以剸犀兕，搏龍蛇，而遊刃於虛，全以神運。唐初歐虞褚薛諸家，皆在籠罩之內，不獨北朝第一，自有真書以來，一人而已。世咲名，稱右軍爲書聖。其實右軍書碑無可見，僅持《蘭亭》之一撥一磔，盱衡讚嘆，非真書者也。余謂鄭道昭書中之聖也。

——清 葉昌熾《語石》

雲峰山石刻，體高氣逸，密緻而通理，如仙人嘯樹，海客泛槎，令人想象無盡。若能以作大字，其穠姿逸韻，當如食防風粥，口香三日也。

——清 康有爲《廣藝舟雙楫》

鄭道昭，雄渾深厚，真有騰天潛淵，橫掃一世之妙，北方之聖手也。其子述祖亦善書，兼工八分。當與王右軍父子并駕齊驅，分道揚鑣，爲南北書家宗族。

——清 歐陽輔

圖書在版編目（CIP）數據

鄭文公碑/上海書畫出版社編.—上海：上海書畫出版社，2012.7

（中國碑帖名品）

ISBN 978-7-5479-0405-3

Ⅰ.①鄭… Ⅱ.①上… Ⅲ.①楷書—碑帖—中國—北魏

Ⅳ.①J292.23

中國版本圖書館CIP數據核字（2012）第119879號

中國碑帖名品［三十二］

鄭文公碑

本社 編

責任編輯 馮 磊
釋文注釋 俞 豐
審 定 沈培方
責任校對 周倩芸
封面設計 王 崢
整體設計 馮 磊
技術編輯 錢勤毅

出版發行 上海書畫出版社
地址 上海市延安西路593號 200050
網址 www.shshuhua.com
E-mail shcpph@online.sh.cn
印刷 上海界龍藝術印刷有限公司
經銷 各地新華書店
開本 889×1194mm 1/12
印張 8 2/3
版次 2012年7月第1版
2021年3月第8次印刷

書號 ISBN 978-7-5479-0405-3
定價 65.00元

若有印刷、裝訂質量問題，請與承印廠聯繫